Traducido por Isabel Soto

Revisión científica: José Ramón Alonso

Título original: *Le zoom des z'animo*
© Éditions Sarbacane, Paris, 2016
© De esta edición: Grupo Editorial Luis Vives, 2017

Edelvives Talleres Gráficos. Certificado ISO 9001
Impreso en Zaragoza, España

ISBN: 978-84-140-1091-4
Depósito legal: Z 1126-2017

EL ZOOM DE LOS ANIMALES

Gonzague Lacombe - Laure du Faÿ

1

Adivina a qué animal pertenece cada uno
de los detalles ampliados de su cuerpo.

2

Algunos animales que quizá no conozcas
aparecen completos al final del libro.
Localízalos con la ayuda de los números
y los códigos de color que aparecen junto a sus nombres.

ideaka
EDELVIVES

LOS ZOOMS

 **PATAS,**
PIES Y PEZUÑAS

 **OJOS**
Y ANTENAS

 **ALAS,**
ALETAS Y PLUMAS

 **CUERNOS,**
COLMILLOS Y DIENTES

 **PIELES,**
PELAJES Y CAPARAZONES

COLAS

 **NARICES,**
PICOS Y HOCICOS

OREJAS

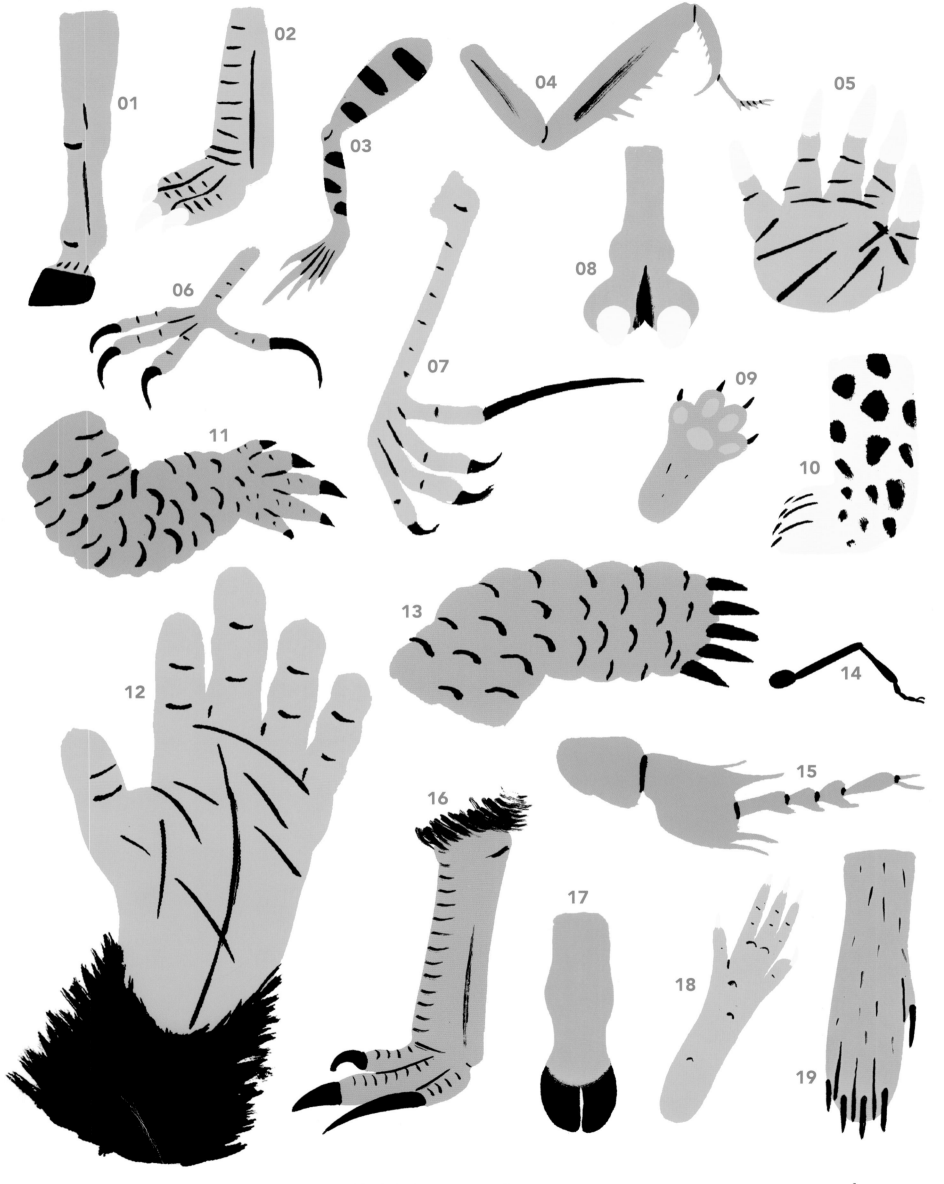

PATAS,

PIES Y PEZUÑAS

OJOS

Y ANTENAS

ALAS,

ALETAS Y PLUMAS

CUERNOS,

COLMILLOS Y DIENTES

PIELES,

PELAJES Y CAPARAZONES

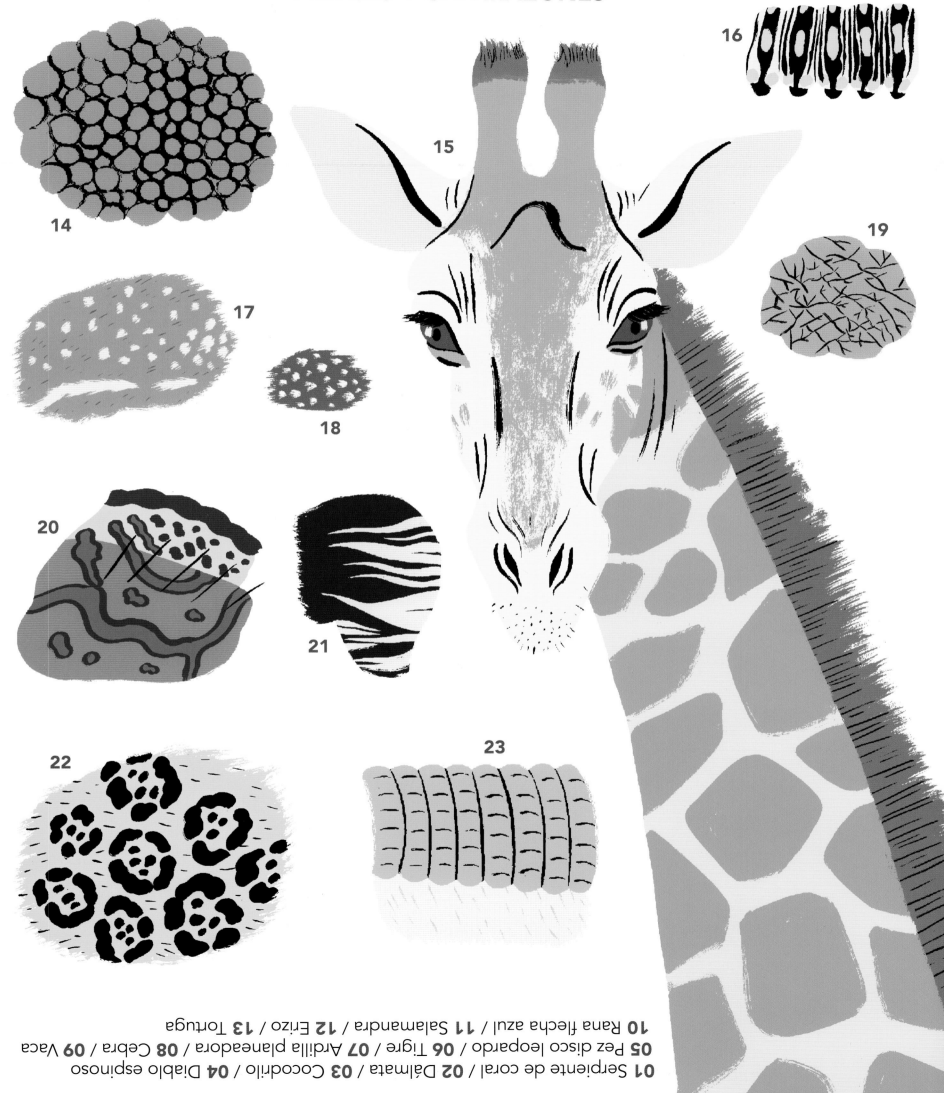

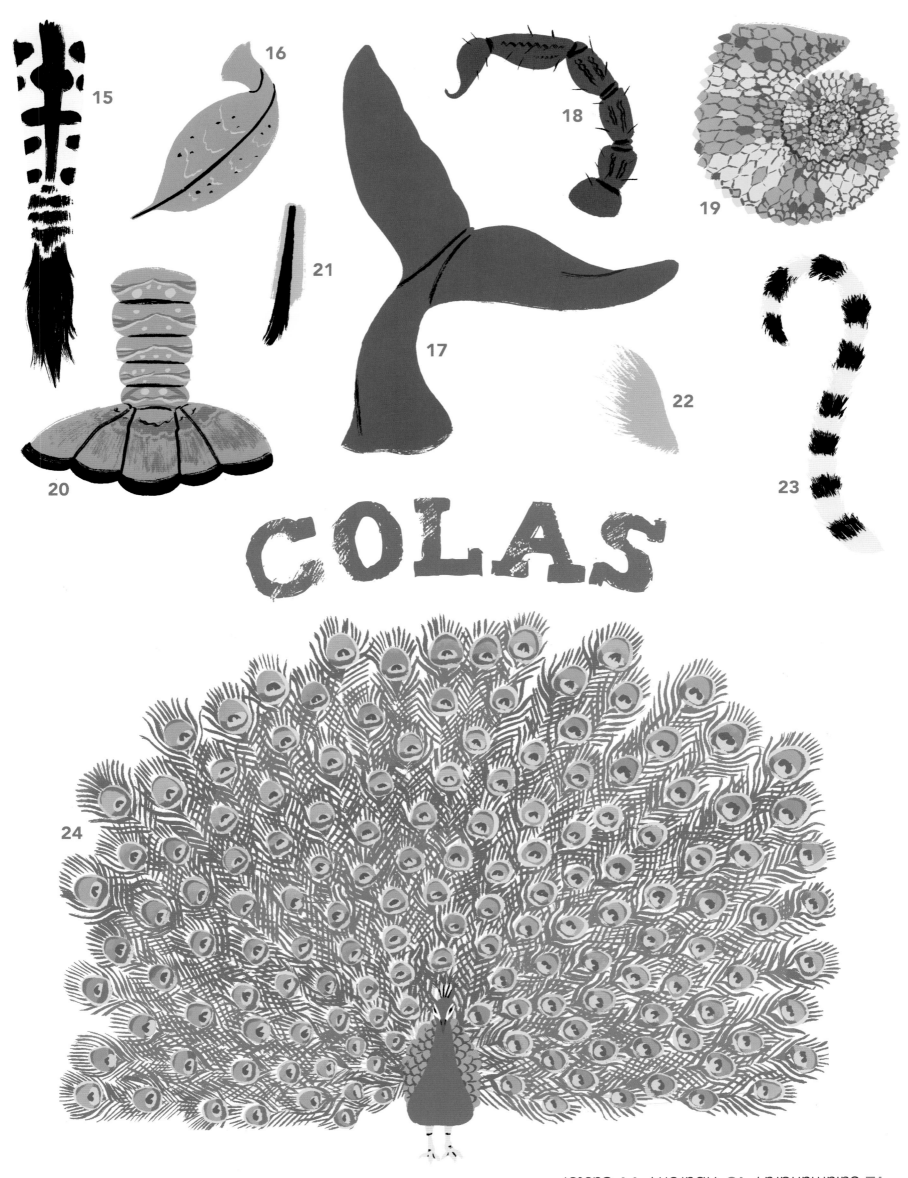

COLAS

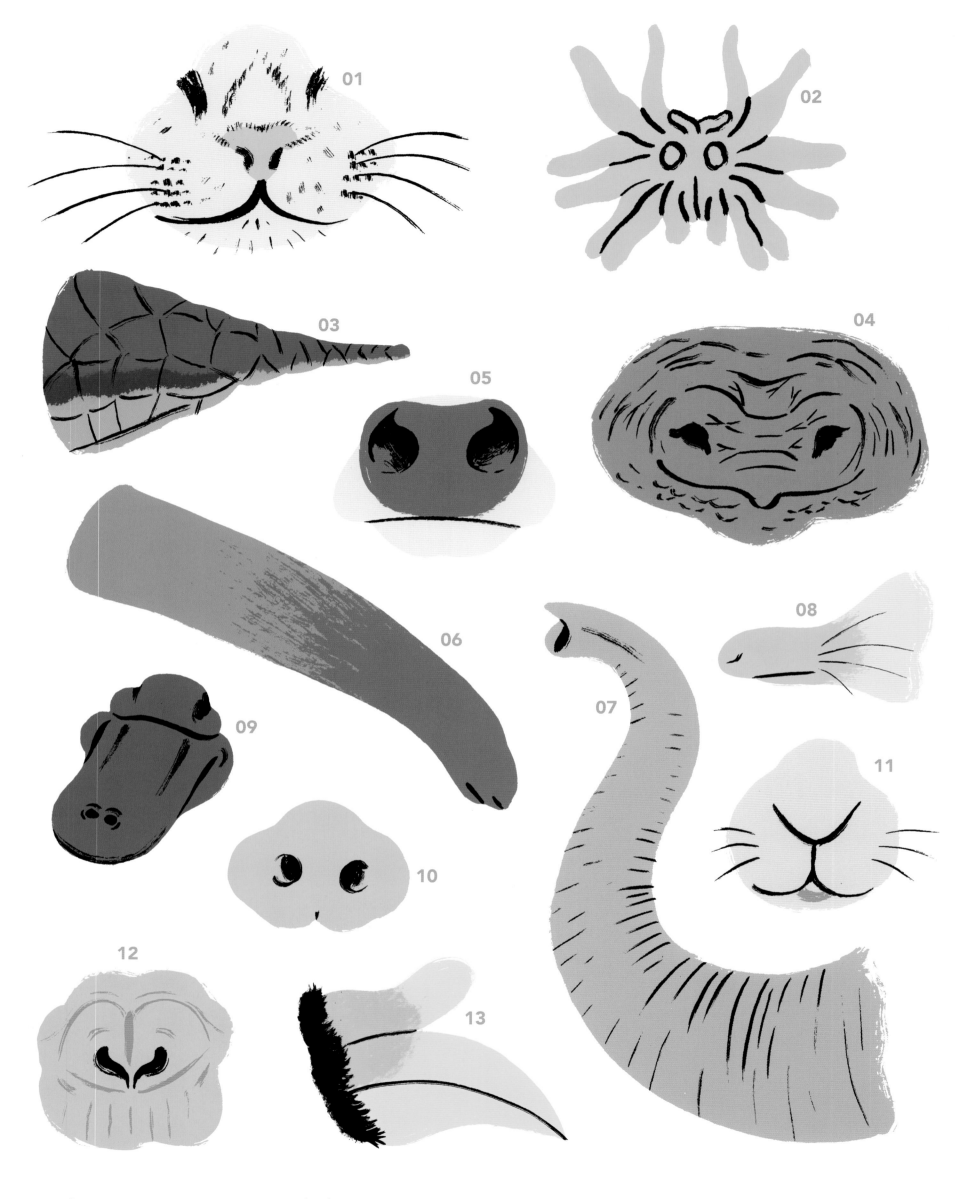

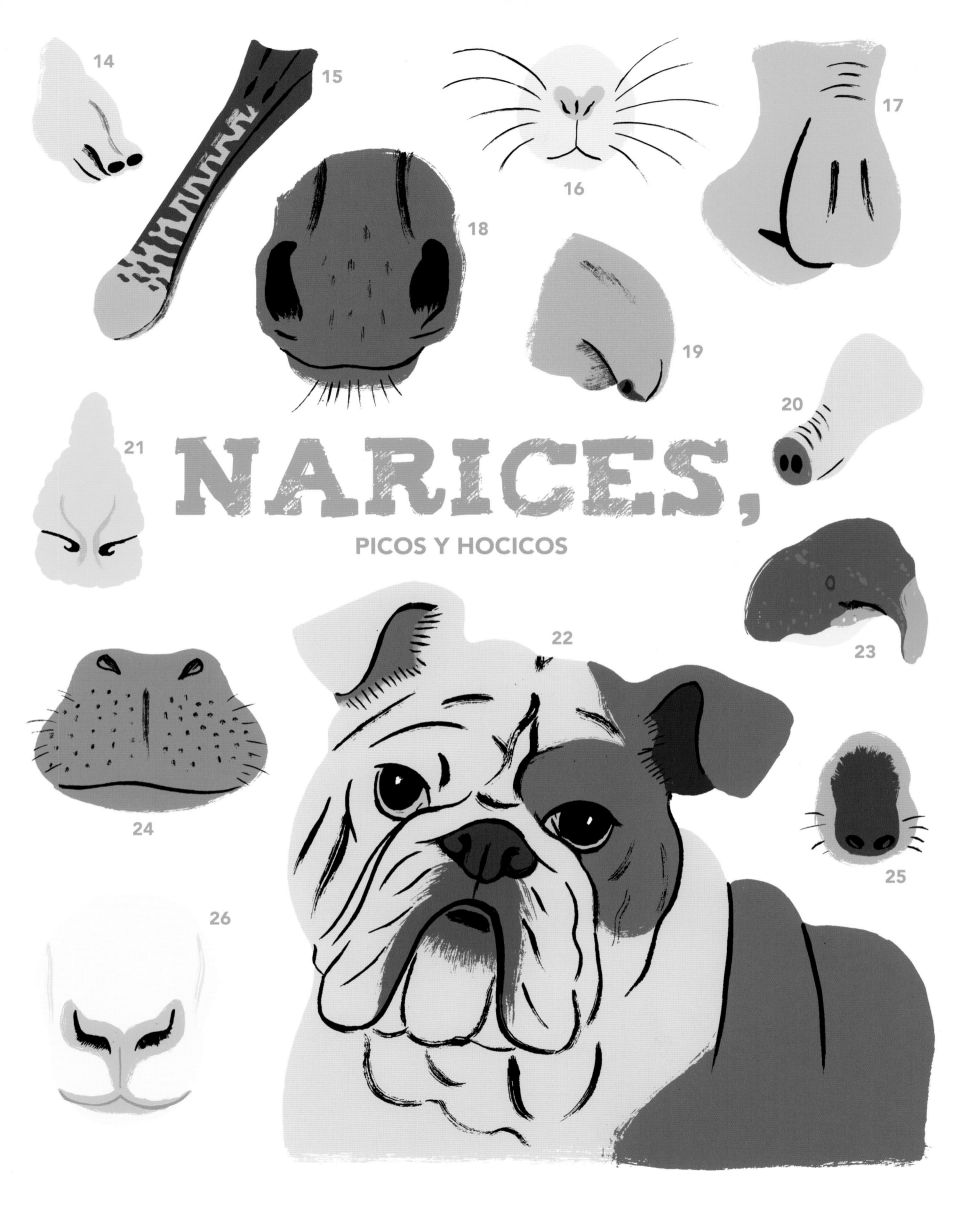

NARICES,

PICOS Y HOCICOS

OREJAS

EL ZOOM
DE LOS ANIMALES

Aquí tienes de cuerpo entero algunos de los animales más singulares que aparecen en este libro. Si sigues el número y el código de color que los acompaña, también puedes localizar partes de ellos en las páginas anteriores.

06

Agateador común

Es habitual en nuestros jardines. Busca su alimento como los pájaros carpinteros, trepando por los troncos de los árboles para picotear su corteza.

07

Alondra

Este pequeño pájaro de campo corre a ras de suelo y se tumba en caso de peligro. Sin embargo, cuando vuela alcanza gran altura.

10

Ankole-Watusi

Buey africano doméstico de imponente cornamenta (puede superar el metro y medio) que presenta una joroba en el lomo.

07

Ave lira

Este enorme pájaro terrestre procede de Australia. Tiene una asombrosa capacidad para imitar el canto de otros pájaros, ¡y las voces y ruidos humanos!

24

Aye-aye

Este minúsculo lémur en vías de extinción vive en Madagascar, una gran isla que se encuentra frente a la costa este de África.

15

Babirusa

Es el primo asiático del facóquero, el más primitivo de los cerdos (también llamados suidos). ¡Hasta los jóvenes tienen arrugas!

Bilby mayor

08 **12**

Es un marsupial australiano, como el canguro, pero del tamaño de un gato y de piel muy suave. Su nombre significa «rata de nariz grande».

Cálao rinoceronte

13

Esta gran ave de magnífico yelmo vive en las ramas de los altos árboles de las junglas de Asia, donde anidan. Por eso su tala los haría desaparecer.

Cálao terrestre sureño

15

Este gran pájaro africano (mide 1 m de alto) es muy hábil con el pico: lanza su comida al aire y la atrapa al vuelo.

Caracal

08

Felino que a veces se confunde con su pariente, el gato dorado africano. Está más lejos genéticamente del lince de lo que parece.

Casuario

16

Este enorme pájaro de cresta ósea se encuentra en un extremo peligro de extinción. Ya casi no se puede encontrar en la naturaleza.

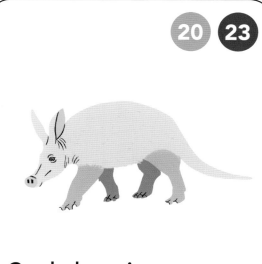

Cerdo hormiguero

20 **23**

Vive en África, se alimenta de termitas y es un animal nocturno. Puede llegar a pesar hasta 80 kilos (el peso medio de un hombre).

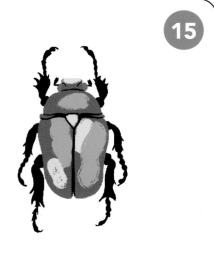

Cetonia dorada

15

Este insecto de reflejos metálicos, muy común en Europa, también se conoce como «escarabajo de las rosas».

Cucaburra aliazul

18

Este pájaro, el martín pescador de Australia, vive en familia: los padres, la nidada del año y los hijos de la puesta anterior.

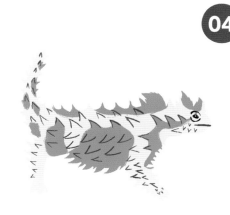

Diablo espinoso

04

Los cuernos y espinas de este lagarto australiano, también llamado moloch, asustan un poco, pero no es peligroso. Solo las utiliza para que no se lo coman.

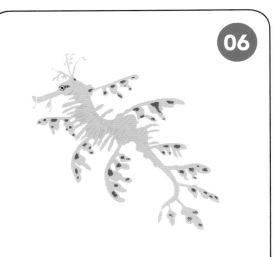

Dragón de mar foliáceo

Es un pez marino de la familia del caballito de mar. Finge ser un alga para esconderse de sus depredadores. ¡Incluso puede cambiar de color!

Dragón volador

Este pequeño lagarto tiene unas membranas en los costados que le permiten «volar», bueno, más bien, planear, como sus ancestros prehistóricos.

Escarabajo Goliat

Es el más voluminoso de los insectos. Al volar hace un sonido parecido al de un helicóptero. Se encuentra en África ecuatorial.

Escarabajo rinoceronte

Es uno de los escarabajos más grandes de Europa. Su cuerno permite a los machos levantar a sus adversarios cuando combaten durante el celo.

Espátula común

Ave zancuda que le debe su nombre a la forma de su largo pico aplanado. Con él remueve el fango para capturar insectos, crustáceos y pececillos.

Faisán pavo de Germain

Esta ave de Asia (también llamada pavo real de China) corteja a la hembra ofreciéndole comida y exhibiendo su plumaje mientras gira a su alrededor.

Fénec

Este zorro del desierto de grandes orejas es el más pequeño de los cánidos. Es un animal nocturno y apenas necesita beber.

Gallina de Faverolles

Recibe su nombre del pueblo francés del que procede. Esta gallina doméstica es una excelente ponedora y una madre entregada.

Gecko satánico cola de hoja

Este lagarto nocturno se camufla entre las hojas sobre las que se posa. ¡Resulta imposible distinguirlo si no se presta mucha atención!

Kea

Es el único loro de las montañas. Con las alas plegadas es de color verde oliva, pero en vuelo son de un amarillo y rojo intenso por su parte inferior.

15

Lagarto de cola espinosa

Es el único lagarto herbívoro del Sahara. Utiliza su cola para golpear a sus depredadores y almacenar sus reservas de grasa.

04

Lori perezoso

Es un pequeño mono nocturno de los bosques tropicales de Asia. Sufre un cruel tráfico ilegal para venderlo como animal de compañía.

14

Mantis orquídea

Como revela su nombre, este increíble insecto imita a la perfección a la orquídea para esconderse y atrapar a sus presas. ¡Menuda glotona!

16

Marjor

Esta cabra de cuernos en espiral pertenece a la familia de los bóvidos, como la vaca. Vive en las altas montañas del Himalaya.

12

Mosca de ojos saltones

Esta mosca con los ojos en el extremo de unos pedúnculos provoca miedo en los habitantes de África: es capaz de devorar plantaciones de arroz rápidamente.

03

Murciélago blanco hondureño

Vive en las selvas tropicales de Honduras, en América Central. Parece una minúscula bola de algodón (de 4 cm). ¡Es una ricura!

21 **09**

Okapi

Este animal africano, pariente de la jirafa y con patas como las de la cebra, es muy escaso hoy en día.

21

Oso hormiguero

Este animal puede medir ¡hasta 2 m! Pertenece a la familia de los perezosos. Se alimenta de hormigas y termitas que atrapa con su larga lengua cilíndrica.

03

Oveja Jacob

Con su despampanante doble par de cuernos (¡las hay con tres pares!), esta oveja estuvo a punto de desaparecer, pero la salvaron los ganaderos.

07

Pangolín

Este pequeño oso hormiguero, que se enrolla como una bola cuando se siente en peligro (igual que el erizo), es el único mamífero con escamas.

10

Pez disco leopardo

También se le llama el pez de oro. Es el rey de los acuarios. Su origen es muy lejano: ¡las dulces aguas del Amazonas!

05

Pez mandarín

Es un pez muy pequeño (de 6 a 8 cm) con una preciosa piel sin escamas. Debe su nombre a la túnica de colores de los sabios chinos, los mandarines.

20

Pez murciélago de labios rojos

Con su falso «pintalabios rojo», este asombroso pez de las profundidades nada tan mal que prefiere caminar por el fondo sirviéndose de sus aletas.

12

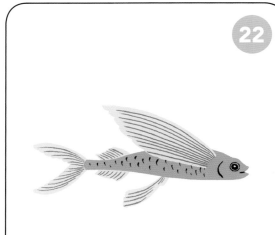

Pez volador

También se llama exocétido. Es bien conocido por los marineros. Gracias a sus aletas, cuando salta fuera del agua planea como si volara.

22

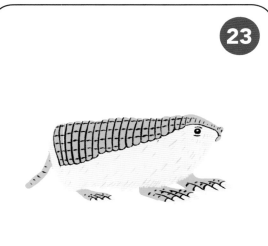

Pichiciego menor

Este pequeño armadillo (12-15 cm de largo) de Argentina tiene un caparazón articulado rosa, vive bajo tierra y su vista solo distingue claridad y oscuridad.

23

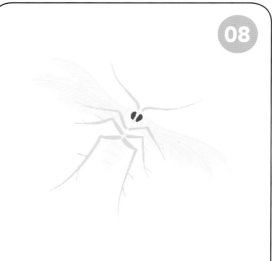

Polilla penacho

Aunque parece una pluma, es una mariposa común en Europa y Asia. Se oculta entre las altas hierbas o las enredaderas.

08

Quol tigre

Como el canguro, este marsupial con hocico de ratón transporta a sus crías en la bolsa que tiene en su barriga. Y allí se enganchan a sus mamas.

18

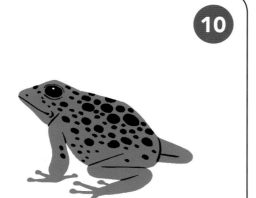

10

Rana flecha azul

¡Atención: peligro! La piel de esta minúscula rana es ultravenenosa: contiene suficiente veneno como para matar a diez hombres.

09 **14**

Saiga

Tiene una nariz ancha y curiosa. Es el único antílope de origen europeo. Vive en las grandes estepas de Rusia y de Mongolia

20

Saltamontes de Madagascar

Este enorme saltamontes de alas multicolores se alimenta de plantas tóxicas. ¡Si te atreves a molestarlo, te las verás con su veneno!

04

Serval

Este felino de tamaño medio tiene patas largas y orejas grandes, adaptadas para la caza entre la vegetación de la sabana africana, donde vive.

24

Tangara aliazul

Este colorido pajarito de la familia de los paséridos (como nuestro gorrión) vive en las montañas de América del Sur.

24

Tarsio

Es uno de los monos más pequeños del mundo (10 cm). No debemos acercarnos a él porque si se asusta deja de respirar y muere.

02

Topo de nariz estrellada

Gracias a sus nada menos que 22 tentáculos al final del hocico, este sorprendente topo americano es el mamífero que come más rápido.

06

Zagloso

Este mamífero, también llamado equidna de hocico largo, vive en Australia, tiene espinas y una reproducción sorprendente… ¡Pone huevos!

13

Zigena

Estas singulares polillas, de colores intensos y vuelo diurno, cuentan con cerca de 800 especies. Muchas de ellas son negras con manchas rojas.